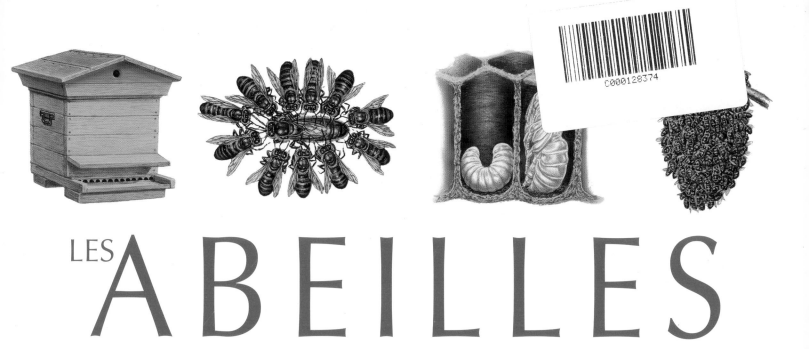

LES ABEILLES

Conception
Émilie BEAUMONT

Textes
Sabine BOCCADOR

Illustrations
Marie-Christine LEMAYEUR
Bernard ALUNNI

Avec la collaboration d'Yves Leconte,
directeur de recherche à l'I.N.R.A.
et spécialiste de la biologie des abeilles.

FLEURUS

GROUPE FLEURUS, 15-27, rue Moussorgski, 75018 PARIS
www.editionsfleurus.com

LES ABEILLES

Les abeilles sont des insectes. Il en existe environ 20 000 espèces dans le monde. Les abeilles mellifères (à miel), appelées aussi abeilles domestiques, sont celles que l'homme connaît le mieux parce qu'il les élève dans des ruches pour leur miel. Elles se répartissent sur tous les continents et vivent en collectivité. Les abeilles sont apparues sur Terre avec les plantes à fleurs. La plus ancienne, retrouvée dans de l'ambre, a vécu il y a 80 millions d'années environ. Les abeilles d'il y a 30 millions d'années ressemblaient déjà à nos abeilles domestiques.

*Apis cerana
(Asie)*

*Megachilidae
(Europe)*

Il existe de nombreuses espèces d'abeill...

Le corps d'une abeille ouvrière mesure environ 1 cm de long.

Abdomen

L'abeille n'a pas d'oreille à proprement parler ; elle perçoit les sons dans les pattes et dans les antennes.

Dard

Les pattes arrière présentent un petit creux, la corbeille, sur lequel l'abeille tasse le pollen qu'elle récolte sur les fleurs. La patte est munie de petites brosses (poils rigides) qui permettent de peigner les grains de pollen et de le... assembler en une petite pelote (voir p. 1...

Un large abdomen

L'abdomen de l'abeille contient une partie du système respiratoire, ainsi que les systèmes digestif et reproducteur. Il est formé de sept segments mobiles. Chez l'ouvrière, il abrite les glandes cirières, qui fabriquent la cire blanche. Il présente à son extrémité un aiguillon venimeux, le dard. Celui-ci est caché : l'abeille ne le sort que lorsqu'elle se sent menacée.

Un thorax musclé

Sur le thorax, composé de trois segments soudés, sont fixées les trois paires de pattes et les deux paires d'ailes à nervures que font fonctionner des muscles puissants. Les deux ailes avant sont reliées aux deux ailes arrière par des crochets, et toutes bougent ensemble pendant le vol. Les ailes postérieures, plus petites que les ailes antérieures, ne sont bien visibles qu'en vol.

Abeille charpentière (Europe)

Abeille géante (Asie du Sud-Est)

Osmie cornue (Europe)

i peuplent tous les continents de la planète.

Un sens du toucher multiple

Tout le corps de l'abeille est recouvert de récepteurs sensoriels qui lui permettent de percevoir le monde extérieur. Elle utilise aussi ses antennes pour tâtonner, un peu comme un aveugle utilise sa canne.

L'odorat

Ce sont les antennes qui servent de nez à l'abeille. Elles lui permettent de s'orienter vers une odeur en comparant les informations qu'elle connaît déjà. L'abeille capte les odeurs beaucoup mieux que l'homme.

Tête

Le goût

L'abeille utilise ses antennes, la partie inférieure de ses pattes et sa bouche pour identifier le goût des différents nectars.

Thorax

Antennes

Les six pattes de l'abeille se terminent par deux griffes et une pelote adhésive qui lui permettent de se fixer aux surfaces. Les pattes avant sont munies d'un peigne, composé de poils rigides, avec lequel l'abeille nettoie ses antennes.

Tout est dans la tête

La tête de l'abeille abrite son cerveau. Elle présente deux antennes (1) recourbées comme des branches de lunettes, sur les côtés deux énormes yeux (2) semblables à un casque d'écoute, et sur le front trois autres petits yeux disposés en triangle : les ocelles (3), avec lesquels l'abeille analyse la direction de la lumière et les modifications de clarté. La tête se termine par deux mandibules (4), grandes pinces entre lesquelles se trouve la langue (5).

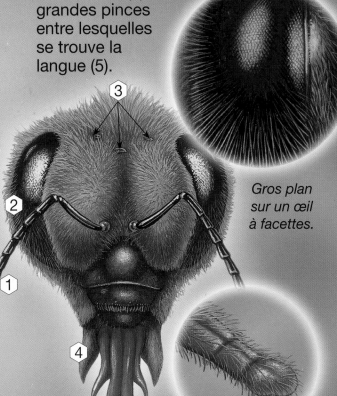

Gros plan sur un œil à facettes.

Extrémité de la langue garnie de poils très sensibles.

Une vue adaptée à ses besoins

Les gros yeux situés sur les côtés de la tête sont composés de plusieurs milliers de facettes, qui sont comme des yeux simples qui captent chacun une image recomposée par l'ensemble des facettes. Le champ de vision de l'abeille est proche de 360 ° ! Celle-ci voit trois couleurs différentes : le vert, le bleu et l'ultraviolet, que l'homme ne distingue pas.

UNE SOCIÉTÉ TRÈS STRUCTURÉE

La vie d'une abeille n'a de sens que si celle-ci est intégrée à la colonie. Une abeille isolée meurt. Une colonie est composée d'un nid et de trois catégories ou castes d'abeilles, à la morphologie et aux rôles distincts : la reine, les ouvrières et les faux bourdons. Chaque caste est responsable de tâches bien précises qui lui permettront d'assurer la survie de la colonie et de l'espèce. Les abeilles sont très solidaires et extrêmement organisées. Elles travaillent toute leur vie. À l'intérieur du nid, tout est bien rangé.

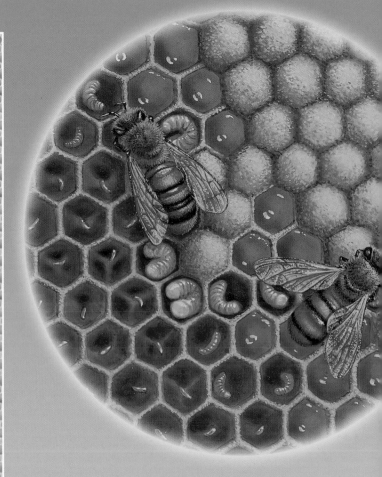

La structure du nid

Quand elles ont trouvé le meilleur emplacemer pour leur nid, les abeilles cirières (voir p. 16) construisent des rayons de cire parallèles, eux-mêmes composés d'alvéoles, petites cavités en forme de tubes à six côtés dans lesquelles la reine pond ses œufs et où les ouvrières entreposent le nectar et le pollen. La construction des alvéoles commence par le fond, puis viennent les parois, qui sont très fines. Le bord supérieur est plus épais.

Le nid est constitué de rayons de cire parallèles.

Rayon

Un nid bien caché

Les abeilles bâtissent leur nid dans des cavités abritées du vent et des intempéries, dans le creux d'un arbre, en hauteur, à l'intérieur d'un rocher ou bien sous les toitures des maisons.

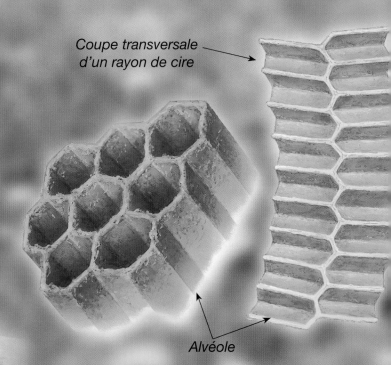

Coupe transversale d'un rayon de cire

Alvéole

Illustration ci-contre montre
deux ouvrières circulant sur
des alvéoles contenant des
œufs et des larves à différents
stades de leur évolution.
Les alvéoles ne sont pas
toutes de la même taille
selon qu'y sont élevés
des mâles ou des femelles.
Certaines sont fermées par
un petit couvercle de cire :
elles abritent les abeilles qui
sont sur le point d'éclore.

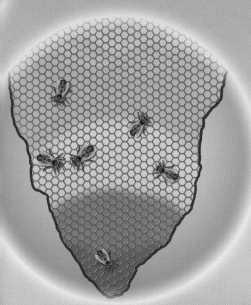

Coupe d'une partie du nid

- Alvéoles pour le couvain
- Alvéoles pour le pollen
- Alvéoles pour le miel

L'organisation du nid

Au centre du nid se trouvent
les alvéoles qui contiennent
le couvain (œufs, larves et
nymphes). Au printemps et en
été, le couvain a la taille d'un
ballon de rugby tant les alvéoles
sont gonflées par la présence
des larves et des nymphes.
Les alvéoles situées au-dessus
du couvain sont utilisées pour
stocker le pollen. Celles qui
viennent ensuite servent
à entreposer le miel.

Les trois castes de la colonie

Au printemps, une colonie comprend
une reine, de 1 000 à 4 000 faux bourdons
et de 20 000 à 80 000 ouvrières.

La reine

La reine est en principe la seule
femelle qui pond des œufs. Elle
se distingue des ouvrières par
son abdomen plus développé et
son thorax plus volumineux. Son
poids est de 0,25 g. Sa langue est
de petite taille, car la reine ne va
jamais butiner. Ses pattes ne sont
pas munies comme celles des
ouvrières de corbeilles et de brosses
pour récolter le pollen, car ce n'est
pas non plus son rôle. On croyait
autrefois que la reine était un mâle :
on parlait alors du roi des abeilles.

Les ouvrières

Les ouvrières sont des femelles qui
accomplissent toutes les tâches
de la vie quotidienne nécessaires
au développement de la colonie.
C'est pour cela qu'elles sont aussi
nombreuses. Leurs glandes et leurs
organes sont adaptés à leurs multiples
fonctions. Elles pèsent 0,1 g.

Les faux bourdons

Les faux bourdons sont les mâles
de la colonie. Leur corps est moins
long que celui de la reine et plus gros
que celui des ouvrières. Ils pèsent
0,23 g et sont dépourvus de dard,
ce qui les rend absolument inoffensifs.
Leur langue est trop courte pour leur
permettre d'aller butiner le nectar des
fleurs. Ils sont donc complètement
dépendants des ouvrières et du
nid pour se nourrir. S'ils ont avant
tout pour rôle de féconder la reine,
les faux bourdons aident aussi à
maintenir le nid à bonne température.

Une communication permanente

La communication est très développée chez les abeilles. Chaque membre de la colonie, y compris les larves, émet des phéromones, qui sont comme des messages chimiques transmis d'une abeille à l'autre par l'intermédiaire des antennes et de la langue, ou par évaporation. Chaque colonie possède sa propre signature chimique, et les gardiennes vérifient ainsi l'identité des nouvelles venues à l'entrée du nid : toute abeille qui ne présente pas la bonne signature chimique est chassée. Ces phéromones sécrétées par tous les membres de la colonie provoquent des comportements spécifiques chez les autres individus de la société : par exemple, les phéromones de la reine empêchent les ovaires des ouvrières de se développer, et donc celles-ci de se reproduire ; celles émises par le couvain (l'ensemble des larves) permettent aux ouvrières nourrices de déterminer l'âge et la caste des larves pour leur donner la nourriture appropriée.

Les vibrations et la danse

C'est en effectuant des danses que les butineuses qui sont de retour au nid informent les autres sur les sources de nourriture qu'elles ont trouvées. Ces danses diffèrent selon la distance à laquelle se situe la nourriture.

① La **danse en rond** indique que la nourriture se trouve à moins de 80 m du nid. La butineuse tourne en rond dans le sens des aiguilles d'une montre, puis en sens inverse. Si la nourriture est abondante, l'abeille tourne plus vite.

② La **danse frétillante,** ou **danse en huit,** indique aux abeilles de la colonie que la nourriture est située à plus de 80 m du nid. La barre du huit, selon sa position, donne aussi la direction du « butin » par rapport au soleil.

Un bouche-à-bouche nourrissant

Les abeilles pratiquent souvent entre elles un échange de nourriture en se passant le miel de bouche à bouche. Il s'agit de la trophallaxie. C'est aussi de cette manière que les ouvrières nourrissent la reine.

Abeille aspirant du miel avec sa langue.

Une alimentation adaptée

Les abeilles adultes se nourrissent principalement de pollen et de miel. Le pollen, que les ouvrières récoltent sur les fleurs, est une source de protéines et sert surtout à l'alimentation des jeunes ouvrières adultes qui finissent leur croissance. Le miel, aux sucres énergétiques, sert de carburant aux ouvrières et aux faux bourdons. Il est stocké dans des alvéoles ; les abeilles se servent en l'aspirant avec leur langue. Les besoins en eau sont également très importants au sein de la colonie. Ce sont les butineuses qui la rapportent au nid.

La nourriture spéciale de la reine

Toute sa vie, la reine est nourrie de gelée royale par les ouvrières. Cette substance blanchâtre gélatineuse, très sucrée et un peu acide, est fabriquée par les ouvrières grâce à des glandes situées dans leur tête. La reine absorbe aussi du miel de temps en temps. La gelée royale est également donnée à toutes les larves pendant les trois premiers jours de leur existence, puis les larves d'ouvrières sont nourries de miel et de pollen.

LA DESCENDANCE

Comme la reine est la seule femelle à pondre des œufs, elle est la mère de toutes les abeilles de la colonie. Les ouvrières lui sont entièrement dévouées. Elles la protègent et la nourrissent, car sans reine il n'y a pas de descendance assurée.
Sa seule présence bloque le développement sexuel des autres femelles, les ouvrières, qui ne peuvent pas s'accoupler avec les faux bourdons et avoir des petits. Pendant toute sa vie, qui dure trois à cinq ans, la reine ne fait que pondre. Les mâles de la colonie sont les faux bourdons.

L'accouplement

Quelques jours après sa naissance, la reine quitte la colonie et s'envole, poursuivie par un groupe de faux bourdons. Le plus rapide s'approche de la reine. L'accouplement a lieu en vol à plus de dix mètres de hauteur. Avec ses six pattes, le mâle agrippe la reine et la féconde en moins de cinq secondes. Ensuite, le plus souvent, le couple tombe à terre et le mâle meurt.

La ponte

Après les accouplements, la reine regagne le nid et ne le quitte plus. Quelques jours plus tard, elle commence à pondre dans les alvéoles 1 500 à 2 000 œufs par jour, au rythme d'un œuf par alvéole toutes les 45 secondes. Surtout abondante au printemps, la ponte s'interrompt en hiver.

De l'œuf à la larve

Une fois l'œuf pondu, ce sont les ouvrières qui prennent le relais. La reine ne s'occupe pas du tout de ses œufs. Au bout de trois jours, l'œuf éclot et une larve, sorte de petit ver, en sort (1) : elle est nourrie de gelée royale pendant trois jours. Puis elle reçoit une bouillie de pollen, de gelée royale, de miel et d'eau pendant trois jours.

Avant de pondre, la reine évalue à l'aide de ses pattes avant la taille de l'alvéole. Si elle est petite, elle y dépose un œuf fécondé qui

donnera naissance à une ouvrière 21 jours plus tard. Si elle est de grande taille, la reine y dépose un œuf non fécondé

qui donnera naissance à un faux bourdon 24 jours plus tard.

Après l'accouplement

Dans les jours suivant le vol nuptial, la reine s'accouple avec d'autres mâles (une dizaine), jusqu'à ce que sa spermathèque, une poche située dans son abdomen et dans laquelle elle stocke les cellules sexuelles des mâles, soit remplie. Elle a alors emmagasiné assez de spermatozoïdes pour pondre des œufs toute sa vie sans plus avoir besoin de s'accoupler.

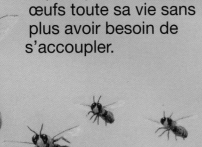

De la larve à l'adulte

C'est alors le moment pour les ouvrières de fermer l'alvéole avec une petite capsule de cire appelée opercule (2). La croissance se poursuit doucement à l'intérieur de l'alvéole. Au bout de dix jours, la larve a bien grossi et tisse un cocon de soie semblable à la chrysalide d'un papillon : elle se transforme en nymphe (3). Pendant cette phase, qui dure dix jours chez l'ouvrière et douze jours chez le faux bourdon, le corps et tous les organes se forment. Vient enfin le moment où l'abeille devenue adulte sort de son berceau de cire après en avoir ôté l'opercule à l'aide de ses mandibules (4 et 5).

Les faux bourdons, des rois fainéants

À leur naissance, les faux bourdons sont nourris par les ouvrières, puis ils s'alimentent seuls de miel. Ils sortent du nid pour effectuer leurs premiers vols de repérage. On dit que les faux bourdons sont des rois fainéants, car ils ne participent pas vraiment à la vie active de la colonie. Leur seule véritable utilité est de s'accoupler avec la reine. Leur durée de vie est de 50 à 60 jours. À la fin de l'été, lorsque les ressources diminuent, ils sont chassés du nid ou tués par les ouvrières. Ne pouvant ni se nourrir ni se défendre seuls, ils meurent.

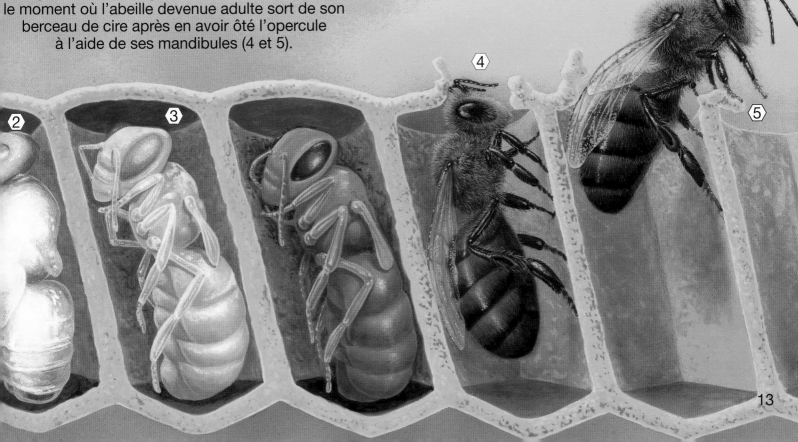

LES OUVRIÈRES

L'organisation de la colonie repose sur la division du travail. Une vie courte mais intense attend les ouvrières. Elles vivent environ 30 jours, pendant lesquels il faut nourrir, bâtir, aérer, réchauffer, défendre, faire des provisions... et tout cela en même temps. Unies autour de la reine, les ouvrières sont donc amenées à exercer plusieurs métiers au cours de leur existence. Elles deviennent tour à tour nettoyeuses, nourrices, bâtisseuses, manutentionnaires, ventileuses, gardiennes et butineuses. Le travail est parfaitement réglementé au royaume des abeilles.

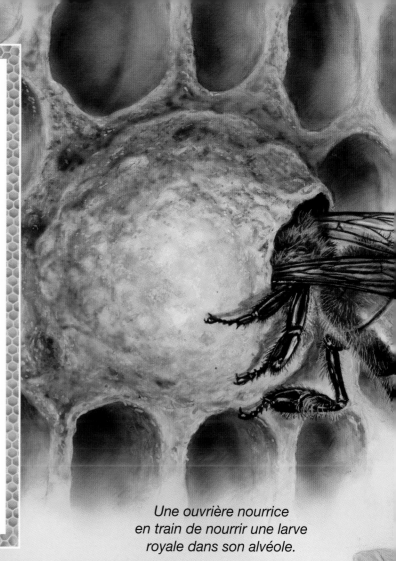

Une ouvrière nourrice en train de nourrir une larve royale dans son alvéole.

Les nettoyeuses, reines de la propreté

Quelques heures après leur naissance, les ouvrières se lancent dans leur première activité, qui est de nettoyer les alvéoles. En effet, il faut que celles-ci soient parfaitement propres pour recevoir un œuf ou stocker de la nourriture. D'ailleurs, la reine vérifie toujours que les alvéoles sont bien nettoyées avant de pondre. Les nettoyeuses commencent, en utilisant leurs mandibules, par évacuer toutes les saletés : morceaux de cire, restes d'abeilles, grains de pollen et restes d'enveloppes laissées par les nymphes écloses. Ensuite, elles lèchent et polissent le fond et la paroi. La préparation d'une alvéole nécessite quarante minutes environ et l'intervention successive de quinze à trente ouvrières : un véritable travail d'équipe !

Nourrir les larves

Les premiers jours qui suivent leur naissance, les ouvrières se nourrissent de grandes quantités de pollen. Cet aliment favorise le développement dans leur tête des glandes nourricières, qui produisent une sorte de lait, la gelée royale, que les nourrices régurgitent dans les alvéoles des larves pour les nourrir.

Les nettoyeuses se chargent aussi de débarrasser la ruche des cadavres d'abeilles, qu'elles saisissent avec leurs mandibules et transportent rapidement à l'extérieur du nid pour assurer la bonne hygiène de la colonie.

Des petits sous haute surveillance

Les nourrices sont très attentives aux larves et leur rendent visite pour vérifier que tout va bien jusqu'à plus de 1 000 fois par jour ! L'inspection dure environ 20 secondes. Elles sont capables d'évaluer le stade de développement des larves grâce aux odeurs que celles-ci dégagent.

Les nourrices donnent aux larves plusieurs repas par jour. Pour ce faire, une nourrice dépose une goutte de nourriture près de la bouche de la larve au fond de l'alvéole. La quantité de nourriture varie en fonction de l'âge de la larve.

Un nid peut mesurer 2 m² et comprendre 90 000 alvéoles. Sa construction nécessite 1 kilo de cire environ, soit 1 250 000 écailles de cire et 80 000 heures de travail ! Pour parvenir à produire toute cette cire, les ouvrières doivent consommer 8,5 kg de miel, et du pollen.

Des acrobates-nées

Pour construire un rayon composé d'alvéoles, les bâtisseuses s'agrippent les unes aux autres par les griffes de leurs pattes antérieures jusqu'à former des chaînes qui permettent d'orienter la construction du rayon par leur poids ou de le maintenir dans une certaine position. L'une après l'autre, les abeilles se déplacent jusqu'à la zone de construction. La première saisit avec ses pattes et ses mandibules une des plaques de cire apparues sur son abdomen, l'imprègne de salive et la pétrit avant de la poser sur l'édifice. Une autre ouvrière la remplace pour faire de même, et ainsi de suite. D'autres ouvrières viennent colmater le nid avec de la propolis, substance résineuse que les abeilles récoltent sur les bourgeons et les écorces de certains arbres.

Des talents de bâtisseuses

Après avoir été nourrices et nettoyeuses, les ouvrières deviennent des bâtisseuses. Il s'agit alors pour elles de construire des alvéoles quand il est nécessaire d'agrandir le nid. Pour cela, elles sont extrêmement bien équipées, puisque sous l'abdomen, elles sont munies de plaques de cire.

Abeille ouvrière transportant de la propolis.

16

Les ventileuses d'été

Pendant l'été, quand il fait chaud, les ouvrières ventileuses, âgées de 20 jours environ, ont pour mission d'aérer le nid. Elles se mettent à l'extérieur du nid, la tête tournée vers l'entrée, et s'agrippent au support qu'elles trouvent. Elles pointent leur abdomen vers le haut et battent ensemble des ailes, ce qui crée un courant d'air.

Pour se réchauffer, les ouvrières se serrent les unes contre les autres.

Du chauffage en hiver

En revanche, quand il fait froid, les ouvrières se rassemblent autour du couvain et se collent aux alvéoles qui accueillent les œufs. Elles font vibrer leurs muscles thoraciques, ce qui produit de la chaleur. La température du couvain doit toujours rester entre 34 et 36 °C.

Les manutentionnaires fabriquent le miel

Quand elles sont âgées de 15 jours environ, les ouvrières deviennent manutentionnaires. Leur mission consiste alors à décharger les butineuses de leur fardeau de nectar. Pour ce faire, les butineuses font remonter le butin dans leur bouche et le font passer dans la bouche des manutentionnaires, qui l'aspirent avec leur langue. Cette opération se répète plusieurs fois (1).

Peu après, les manutentionnaires gagnent les cellules à miel, situées sur les bords extérieurs du couvain, et recrachent le nectar dedans (2). Elles l'avalent à nouveau, puis le régurgitent plusieurs fois, jusqu'à ce qu'il perde une grande partie de son eau. Ce travail s'arrête quand le miel ne contient plus que 18 % d'humidité.

Puis, pour que le miel s'épaississe, les ouvrières le ventilent pendant plusieurs jours (3).

Quand les cellules contenant le miel sont pleines et si ces réserves sont destinées à passer l'hiver, les ouvrières les bouchent avec de la cire (4).

Le traitement du pollen

Les manutentionnaires s'occupent aussi du pollen rapporté au nid et déposé dans les alvéoles par les butineuses. Elles malaxent les pelotes avec de la salive et du miel régurgité, et les tassent bien au fond de la cellule à l'aide de leurs mandibules. Lorsque l'alvéole est pleine, elles la recouvrent d'une fine couche de miel pour favoriser la conservation du pollen.

17

Abeilles s'attaquant à un scarabée, qui se nourrit de pollen et de nectar.

Les butineuses

Vers l'âge de trois semaines environ, les ouvrières deviennent butineuses. C'est le dernier métier qu'elles exerceront. Il est temps pour elles de s'envoler afin d'approvisionner le nid en nectar et en pollen. Car, sans nourriture, la colonie dépérirait. La mission des butineuses est donc essentielle, mais également très fatigante. En effet, si le temps est beau et permet aux abeilles d'aller travailler, le butinage ne dure que quatre ou cinq jours. À ce terme, les butineuses, épuisées, les ailes déchirées, meurent. Si le temps ne leur permet pas de sortir tous les jours, elles vivront un peu plus longtemps.

Dard

Des soldats courageux

Quand un ennemi s'approche du nid, les gardiennes donnent l'alarme à d'autres ouvrières, qui deviennent alors soldats. Ces dernières attaquent l'intrus en le piquant avec leur dard, un aiguillon muni de petites dents qui peut être comparé à un harpon et est relié à une poche à venin. Mais, en piquant, les soldats meurent : en effet, ils ne peuvent pas retirer leur dard de la chair de l'ennemi et leur abdomen se déchire. Ils sacrifient donc leur vie pour défendre la colonie !

La récolte du nectar

Le nectar est un liquide sucré, produit par les fleurs, avec lequel les abeilles fabriquent le miel. Pour le récolter, la butineuse pénètre dans la fleur, aspire avec sa langue le nectar. Elle l'emmagasine dans son jabot, une petite poche extensible située dans l'abdomen, où elle stocke le nectar et l'eau qu'elle rapporte au nid. Les butineuses récupèrent aussi du miellat, une substance sucrée rejetée par les pucerons, en léchant les aiguilles ou les feuilles de différents arbres. Il sert lui aussi à l'élaboration du miel.

Des gardiennes à l'affût

À un moment de leur vie, les ouvrières sont amenées à veiller à la sécurité de la ruche ou du nid. Elles deviennent gardiennes. Postées à l'entrée, elles observent les alentours et vérifient l'identité de toutes les abeilles qui entrent dans le nid. Elles guettent aussi l'arrivée d'éventuels ennemis.

Des allers-retours permanents

Une butineuse effectue dix à cent voyages par jour à une vitesse de 25 à 30 km/h. Quand le temps s'y prête et quand le nectar est abondant, une colonie peut en récolter jusqu'à 5 kg par jour ! Le jabot peut contenir 70 mg de nectar, soit presque le poids de l'abeille qui est de 0,1 g. Pour le remplir, celle-ci doit visiter 1 000 à 1 500 fleurs.

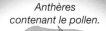
Anthères contenant le pollen.

Nectar

Étamines

Abeille transportant des pelotes de pollen.

Du repos pour les abeilles

Les butineuses ne travaillent pas la nuit, puisque les fleurs sont fermées. Elles restent au nid. On sait que les abeilles sont parfois inactives et qu'elles se reposent, mais on ne sait pas si elles dorment vraiment. En effet, elles ne peuvent pas fermer les yeux ni se coucher. La nuit, dans le nid, la société continue de s'activer, et la reine de pondre. Les moments de repos ne sont pas les mêmes pour tout le monde.

Abeille déchirant les anthères de la fleur avec ses pattes avant afin de recueillir le pollen.

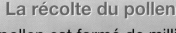

La récolte du pollen

Le pollen est formé de milliers de grains minuscules enfermés dans les anthères, sortes de sacs situés à l'extrémité des étamines des fleurs (voir schéma). Lorsque la butineuse visite les fleurs, elle déchire ces sacs avec ses pattes avant. Son corps se couvre alors de pollen. Grâce aux brosses et aux peignes situés sur ses pattes, l'abeille fabrique une boule de pollen qu'elle place dans la « corbeille », petit creux qui se trouve sur la troisième paire de pattes, puis elle regagne le nid avec son butin.

Ouvrières gardant l'entrée d'une ruche.

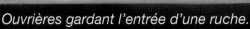

L'ESSAIMAGE

Quand les abeilles deviennent trop nombreuses et qu'elles manquent de place au sein du nid, quand la ponte a été bonne et que la reine commence à vieillir, vient le temps de l'essaimage. La reine s'apprête doucement à quitter le nid avec une partie des ouvrières pour aller en construire un autre ailleurs. Cet événement, qui se produit généralement entre la mi-avril et la mi-juillet, se prépare plusieurs semaines à l'avance. Avant de diviser la colonie, il faut prévoir un élevage de reines pour que les abeilles qui restent puissent en avoir une, elles aussi.

Une seule et unique reine

Quand la première-née des reines sort de son alvéole, sa principale préoccupation est de s'assurer qu'elle sera bien la seule à régner. Avec son dard, qui contrairement à celui des ouvrières, peut servir plusieurs fois sans provoquer sa mort, elle met fin à la vie des nymphes rivales en l'enfonçant dans les alvéoles royales. Si plusieurs reines naissent en même temps, un combat mortel s'engage entre elles. C'est la survivante qui dirigera la colonie.

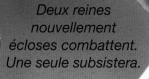

L'élevage d'une nouvelle reine

Quand la colonie est en trop grand nombre, les phéromones royales, qui sont les odeurs caractéristiques de la reine, ne sont plus distribuées convenablement à toutes les ouvrières. C'est pour ces dernières le signe qu'il leur faut accueillir une nouvelle reine. Elles construisent alors dix à trente alvéoles royales un peu plus grandes que celles destinées à accueillir des œufs de mâles et d'ouvrières, et qui sont éloignées des autres alvéoles du couvain. La reine vient y pondre des œufs fécondés, et les larves qui en sortiront ne seront nourries que de gelée royale, à la différence des larves d'ouvrières et de faux bourdons.

Deux reines nouvellement écloses combattent. Une seule subsistera.

Les alvéoles des reines

Les alvéoles des reines sont très différentes de celles des autres membres de la colonie. Elles ressemblent à de grosses cacahuètes pendantes (voir dessin ci-dessus). La future reine naît au bout de 15 jours. Elle annonce sa naissance avec un chant bien particulier.

La préparation de l'essaimage

Pendant que les larves royales se développent, la reine de la colonie se prépare au départ en réduisant sa ponte. Moins nourrie par les ouvrières, elle sera plus légère pour s'envoler. De leur côté, les ouvrières se gorgent de 30 mg de miel chacune afin d'avoir suffisamment d'énergie pour assurer la recherche et la construction du nouveau nid.

Le grand jour

Par une belle journée de printemps ou d'été, en début d'après-midi, la reine quitte le nid avec à sa suite des milliers d'ouvrières de tous les âges (1). Quelques faux bourdons les accompagnent. L'essaim se réfugie d'abord à quelques mètres, sur une branche d'arbre qu'il fait ployer sous son poids puisqu'il pèse 1 à 3 kg (2). Les abeilles ainsi agglutinées sont généralement inoffensives, car leur seule préoccupation est de s'occuper de la reine. L'essaim peut rester ainsi plusieurs jours, pendant que des éclaireuses partent à la recherche d'un nouveau nid. Après leurs recherches, elles rejoignent l'essaim pour expliquer, en effectuant des danses, le lieu qu'elles ont trouvé et inviter les autres éclaireuses à aller le visiter. Puis, quand toutes sont d'accord, elles partent en essaim jusqu'au nid et se mettent rapidement à construire des rayons d'alvéoles (3). Une nouvelle société est née.

Quand la reine meurt

Quand la reine meurt accidentellement ou lorsque sa disparition n'a pas pu être préparée par la colonie, les ouvrières se mettent à pondre des œufs. Comme elles ne se sont pas accouplées aux faux bourdons, leurs œufs non fécondés ne donneront naissance qu'à des mâles. La colonie commence alors à se dépeupler de ses ouvrières et finit par mourir. Sans reine, il n'y a pas de survie possible de l'espèce.

L'APICULTURE

À la préhistoire, déjà, l'homme traquait le miel en le récupérant là où les abeilles faisaient leur nid, dans des endroits souvent difficiles d'accès. Il avait découvert que cette substance extraordinaire a un agréable goût sucré. Puis il a compris qu'il pouvait le récolter près de chez lui en construisant pour les abeilles des abris qu'on appelle des ruches. C'est ainsi qu'il est devenu apiculteur, c'est-à-dire éleveur d'abeilles. L'apiculture est née environ 3 000 ans avant notre ère, en Égypte. Aujourd'hui, ce métier est pratiqué sur tous les continents.

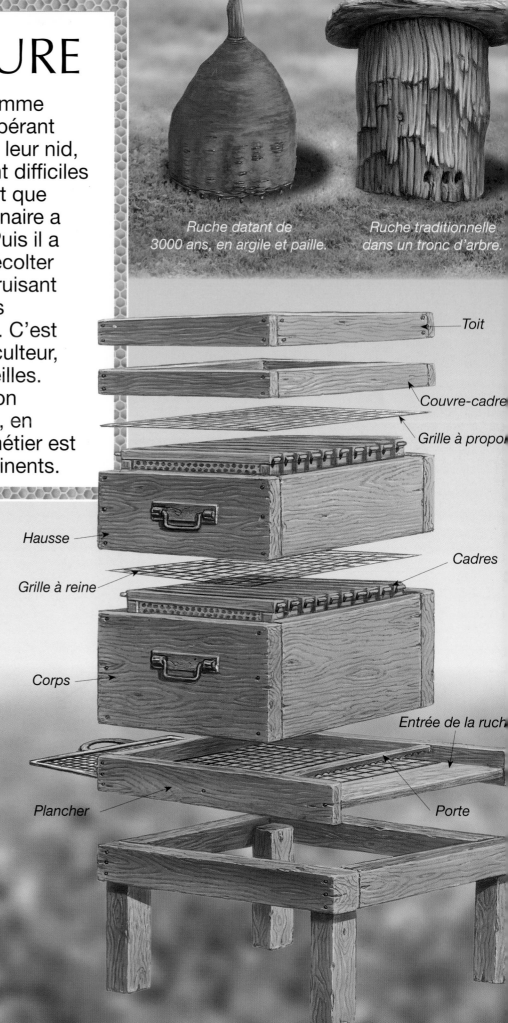

Ruche datant de 3000 ans, en argile et paille.

Ruche traditionnelle dans un tronc d'arbre.

Toit

Couvre-cadre

Grille à propo[lis]

Hausse

Cadres

Grille à reine

Corps

Entrée de la ruch[e]

Plancher

Porte

Une ruche moderne est constituée d'une caisse en bois, ou **corps de ruche**, avec un plancher et une ouverture permettant aux abeilles d'entrer et de sortir.

Le **corps de ruche** contient dix **cadres** amovibles en bois, couverts d'une feuille de cire gaufrée amorçant la forme des alvéoles, que les abeilles finiront de construire. Ces cadres sont destinés à accueillir le couvain, ainsi que les réserves de miel et de pollen. Le miel du corps de ruche est strictement réservé aux abeilles.

Entre le **couvre-cadres** et la **hausse**, une **grille** permet de récupérer la propolis déposée par les abeilles.

Ruche traditionnelle en paille.

Ruche Dadant du XIXᵉ siècle.

Ruche Langstroth du XIXᵉ siècle.

Des ruches différentes

Au fil des siècles, l'homme a fabriqué des ruches aux formes et dans des matériaux très divers. Au XIXᵉ siècle, les naturalistes Debeauvoys, Langstroth et Dadant inventèrent la ruche à cadres amovibles, c'est-à-dire qu'on peut déplacer, qui facilita grandement le travail des apiculteurs.

ur le corps de ruche, l'apiculteur ajoute ne ou plusieurs **hausses**. Ce sont des etites caisses composées de cadres movibles identiques aux précédents, t qui servent aussi aux abeilles à faire es réserves de miel. La hausse est ce u'on appelle le « grenier à miel » de apiculteur. C'est là qu'il se sert en etirant un à un les cadres quand ils ont gorgés de miel. Sur le corps e ruche, une grille empêche a reine, plus grosse que les uvrières, de monter pondre dans a hausse. La ruche est couverte 'un **couvre-cadres** et d'un toit qui rotège les abeilles des intempéries.

apiculteur est vêtu d'une combinaison ui ne doit laisser aucun passage ux abeilles et porte sur la tête ne protection sur laquelle st cousu un voile qui rotège tout le visage.

Le travail de l'apiculteur

L'apiculteur surveille attentivement la ruche, voit si la reine est en bonne santé pour pondre et veille à ce que la colonie soit à l'abri des maladies. Il fait en sorte que ses abeilles aient suffisamment de quoi se nourrir pendant l'hiver, car l'un de ses objectifs est d'avoir le plus grand nombre possible de butineuses au printemps. Il doit en outre récolter et vendre le miel. Les apiculteurs professionnels, qui vivent de leur travail, possèdent plusieurs centaines de ruches. Ces ensembles s'appellent des ruchers.

L'enfumoir

Quand l'apiculteur rend visite aux abeilles, surveille la ruche ou enlève les hausses pour récolter le miel, il est toujours équipé d'un enfumoir. Dedans brûlent des aiguilles de pin ou de l'herbe sèche qui produisent une épaisse fumée blanche. Celle-ci se dégage par un couvercle en forme d'entonnoir lorsqu'on actionne le soufflet. Ainsi, les abeilles, trop occupées à chasser la fumée, ne cherchent pas à piquer l'apiculteur.

23

Quand les hausses sont pleines, l'apiculteur les porte à la miellerie, l'usine à miel : chaque cadre gorgé de miel pèse 1,5 kg. On retire d'abord la fine couche de cire qui ferme les alvéoles à l'aide d'un couteau à désoperculer, ou en plaçant le cadre dans une machine spéciale.

Une fois que la couche de cire a été retirée, on pose le cadre dans une grosse machine, un extracteur, qui fonctionne avec une manivelle. Quand on tourne la manivelle de plus en plus vite, le miel est extrait du cadre.

Le miel

Il existe différentes sortes de miel, élaborées par les abeilles à partir du nectar ou du miellat (substance sucrée rejetée par les pucerons sur les feuilles des arbres) et provenant d'une ou de plusieurs plantes. On ajoute du miel dans plusieurs desserts et confiseries.

C'est le cas du pain d'épices, du nougat, de bonbons, de caramels, de fruits confits et de glaces. Le miel peut être mélangé à des plats salés et à des sauces. Certaines boissons, comme l'hydromel ou le chouchen, sont obtenues à partir de miel.

Le pollen

Les pollens sont aussi divers que les plantes à fleur. Les apiculteurs récoltent le pollen en plaçant à l'entrée de la ruche une grille qui retient les petites pelotes situées sur les pattes des abeilles quand elles pénètrent dans la ruche. Ils les vendent sans les transformer.

Miel

Chouchen

Pain d'épices

Nougat

Le miel s'écoule ensuite par un robinet. On le filtre pour le nettoyer de ses impuretés et on le récolte dans un seau. Après avoir reposé pendant quelques jours, le miel peut être mis en pot.

L'apiculteur tourne la manivelle, et le miel jaillit du cadre.

La couleur, la texture et le goût du miel diffèrent selon les fleurs que les abeilles ont butinées. Aucun ingrédient ne doit être ajouté à ce produit fabriqué par les abeilles.

La cire

Elle sert à fabriquer des bougies. Elle est aussi utilisée pour faire briller les meubles et sous forme de pommade pour soigner les maladies de peau. Certains produits de beauté sont également à base de cire d'abeille, comme les cires d'épilation.

La gelée royale

On lui prête toutes les vertus, sans doute parce qu'elle alimente la reine des abeilles, qui a une durée de vie beaucoup plus longue que les ouvrières. On dit qu'elle augmente la vitalité et permet de lutter contre certains virus.

Des produits bons pour la santé

On exploite aussi les produits de la ruche dans l'industrie pharmaceutique. Même le venin d'abeille soignerait les rhumatismes ! Vendue sous différentes formes, la propolis est réputée pour ses propriétés antibiotiques et soigne les maux de gorge.

Pollen

Bougies de cire

Gelée royale

UNE ESPÈCE UTILE MAIS MENACÉE

Les abeilles assurent la reproduction de nombreuses plantes. En effet, elles facilitent, avec les oiseaux et d'autres insectes, le transport du pollen, qui permet aux fleurs de se reproduire : c'est la pollinisation. 80 % des espèces de plantes à fleurs dépendent de la pollinisation par les insectes, et principalement par les abeilles. Sans elles, l'homme ne pourrait plus se nourrir de fruits et légumes. Pourtant, les abeilles doivent faire face à de nombreux dangers.

La pollinisation

Si le nectar n'est pas directement utile aux fleurs, il les aide toutefois à se reproduire en attirant les abeilles, entre autres insectes. En butinant (1), les abeilles récupèrent des grains de pollen,

Les prédateurs des abeilles

Dans la nature, les abeilles doivent se protéger de nombreux oiseaux, véritables amateurs d'insectes, qui les dévorent. C'est le cas du guêpier (1), de l'hirondelle (2), de la mésange et du pivert. De même, les lézards gris ou verts (3) sont de grands croqueurs d'abeilles. Parmi les insectes, la guêpe et le frelon (4) s'en régalent aussi.

L'homme est-il vraiment l'ami des abeilles ?

Pour éliminer les insectes et les pucerons qui nuisent aux cultures, l'homme utilise toutes sortes de produits qu'il projette sur les plantes. Les abeilles ne sont pas à l'abri de ces produits, même s'ils sont interdits lorsque les plantes sont en fleurs.

Le varroa, acarien visible à l'œil nu, parasite les nids d'abeilles et les ruches. Il pique les insectes adultes aussi bien que les larves et les nymphes, et suce l'hémolymphe, l'équivalent du sang, ce qui tue ses victimes.

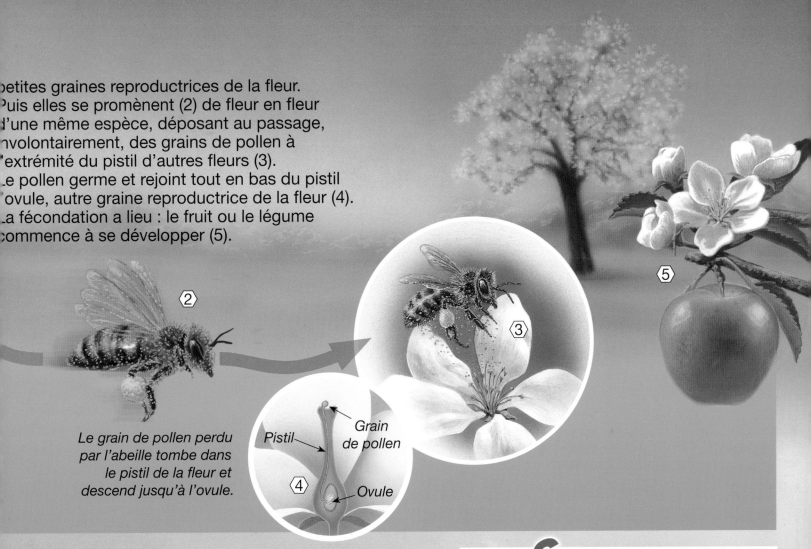

petites graines reproductrices de la fleur.
Puis elles se promènent (2) de fleur en fleur
d'une même espèce, déposant au passage,
involontairement, des grains de pollen à
l'extrémité du pistil d'autres fleurs (3).
Le pollen germe et rejoint tout en bas du pistil
l'ovule, autre graine reproductrice de la fleur (4).
La fécondation a lieu : le fruit ou le légume
commence à se développer (5).

② ③ ⑤

*Le grain de pollen perdu
par l'abeille tombe dans
le pistil de la fleur et
descend jusqu'à l'ovule.*

Pistil

Grain
de pollen

④

Ovule

Les amateurs des produits de la ruche

L'ours, très friand de miel, est
capable de dévaster les nids bâtis
dans les arbres pour s'en régaler.
Quant aux souris, elles
s'infiltrent dans les ruches
construites par l'homme,
rongent les rayons et
se nourrissent de cire,
de pollen et de miel.
La couleuvre, la martre
et le blaireau comptent
aussi parmi les ennemis
des abeilles.

S.O.S.

Les abeilles disparaissent !

Depuis quelques années, les
apiculteurs constatent que des
colonies entières disparaissent un
beau jour de leur ruche pour ne
jamais y revenir. Cette désertion,
qui a commencé aux États-Unis et
se poursuit en Europe, s'explique
par la pollution liée aux pesticides,
ainsi que par le développement de
certaines maladies. Les plantes
génétiquement modifiées sont aussi
mises en cause. Par ailleurs, les
ondes émises par les téléphones
portables pourraient perturber
le sens de l'orientation des abeilles.
Quoi qu'il en soit, ce phénomène
est très inquiétant, car si on ne
parvenait pas à y mettre fin, la
pollinisation des plantes à fleurs
pourrait en être menacée.

TABLE DES MATIÈRES

MDS : 660529
ISBN : 978-2-215-09730-3
© Groupe FLEURUS, 2009
Dépôt légal à la date de parution.
Conforme à la loi n° 49-956 du 16 juillet 1949
sur les publications destinées à la jeunesse.
Imprimé en Italie (06-10)